# SHORT STORIES IN ENGLISH/ITALIAN

UNLOCK IGNITE & TRANSFORM YOUR LANGUAGE
SKILLS WITH CONTEMPORARY ROMANCE

## LAURA MARIANI

The
PEOPLE
ALCHEMIST

# ABOUT THE AUTHOR

Laura Mariani is best selling Author, Speaker and Entrepreneur.

Laura is a Fellow of the Chartered Institute of Personnel & Development (FCIPD), Fellow of the Australian Human Resources Institute (FAHRI), Fellow of the Institute of Leadership & Management (FInstLM), Member of the Society of Human Resources Management (SHRM) and Member of the Change Institute.

Laura writes non-fiction positive psychology success books for women in business and contemporary romance focusing on city life rom-com and billionaire romance books with a dabble in office romance.

Well, after all that hard work climbing the career ladder, you need to have some fun!

She writes strong female characters with backbone, big hearts and a stubborn streak. Every story has a happy ever after or a happy for now, and will make you laugh, gasp and cry a little.
Unless you have no sense of humour ;-).

Laura is based in London, England and, when she is not writing, she loves travelling, painting and drawing, tennis, rugby, and of course fashion (the Pope is Catholic after all).

# SULL' AUTRICE

Laura Mariani è un'Autrice di best seller, Oratrice pubblica e Consulente.

Laura è Fellow del Chartered Institute of Personnel & Development (FCIPD), Fellow dell'Australian Human Resources Institute (FAHRI), Fellow dell'Institute of Leadership & Management (FInstLM), Membro della Society of Human Resources Management (SHRM) e membro del Change Institute.

Laura scrive saggistica sul successo e psicologia positiva per donne nel mondo degli affari e anche storie d'amore contemporanee, concentrandosi su commedie romantiche con sottofondo la vita di città e un tocco di affari clandestini in ufficio.
Dopo tutto quel duro lavoro e impegno sulla carriera, uno si devie divertire un po'!

Laura scrive personaggi femminili forti con spina dorsale, cuore grande e una vena testarda.
Ogni storia ha un lieto fine o almeno un finale felice per ora, e ti farà sussultare, piangere e ridere un po' - a meno che tu non abbia il senso dell'umorismo ;-).

Lei vive a Londra, in Inghilterra e, quando non scrive, ama viaggiare and dipingere, seguire il tennis, rugby e, naturalmente, è appassionata di moda (dopo tutto il Papa è cattolico).

Sign up for her newsletter at www.thepeoplealchemist.com and stay up to date on all latest Laura book news and blog.

You can also follow her on

www.thepeoplealchemist.com
@PeopleAlchemist
instagram.com/lauramariani_author

Iscriviti alla sua newsletter su www.thepeoplealchemist.com e rimani aggiornato su tutte le ultime notizie sui libri e sul blog di Laura.

Puoi anche seguirla su

www.thepeoplealchemist.com
@PeopleAlchemist
instagram.com/lauramariani_author

ThePeopleAlchemist Press publishes self help, inspirational and transformational books, resources and products to help #TheWomanAlchemist in every woman to change her life/ career and transmute any circumstance into gold, a bit like magic to **Unlock Ignite Transform.**

Copyright © 2023 by Laura Mariani

Laura Mariani has asserted her right to be identified as the author of this work in accordance with the Copyright, Designs and Patents Act 1998. All rights reserved. Apart from any permitted use under UK copyright law, no part of this publication, may be reproduced or transmitted in any form or by any means, electronic or mechanical, including photocopying, recording, or any information, storage or retrieval system, without permission in writing form the publisher or under licence from the Copyright Licensing Agency Further details of such licenses (for reprographic reproduction) may be obtained from the Copyright Licensing Agency Ltd., Saffron House, 6-10 Kirby Street, London EC1N 8TS

ISBN: 978-1-915501-60-8

ThePeopleAlchemist Press pubblica libri, risorse e prodotti di self-help, d'
ispirazione e trasformazione per aiutare #**TheWomanAlchemist** in ogni donna a
cambiare la sua vita/carriera e trasmutare qualsiasi circostanza in oro, un po' come
per magia per **Unlock Ignite Transform**.

Diritti d'autrice © 2023 by Laura Mariani

Laura Mariani ha rivendicato il suo diritto di essere identificata come autrice di
quest'opera ai sensi del Copyright, Designs and Patents Act 1998. Tutti i diritti
riservati. A parte qualsiasi utilizzo consentito dalla legge sul copyright del Regno
Unito, nessuna parte di questa pubblicazione può essere riprodotta o trasmessa in
qualsiasi forma o con qualsiasi mezzo, elettronico o meccanico, comprese fotocopie,
registrazioni o qualsiasi sistema di informazione, archiviazione o recupero, senza
autorizzazione in per iscritto dall'editore o su licenza della Copyright Licensing
Agency Ulteriori dettagli su tali licenze (per la riproduzione riprografica) possono
essere ottenuti dalla Copyright Licensing Agency Ltd., Saffron House, 6-10 Kirby
Street, London EC1N 8TS

ISBN: 978-1-915501-60-8

# INTRODUCTION

Welcome to the series **Unlock Ignite & Transform** your language skills reading short stories.

When we are born, every possibility exists to pronounce and learn every sound in every language. But early on, our brains lay down neural pathways that interweave with the sounds we hear daily, eliminating sounds and words from other languages.

The **Unlock Ignite Transform** series aims to unlock the power of your subconscious mind and assist in resurfacing those abilities that have always been at your disposal.

Our subconscious is ready to execute any message we send and reproduce it in our physical reality, like a printer.

In this book, you will not find any dictionary, synonyms or grammar points because that would signal to your subconscious mind that you are *learning* and *practising* a new language.

Instead, we want to send the message that you are *reading* in two languages because you *already know them* both and you

# INTRODUZIONE

Benvenuto alla series **Unlock Ignite & Transform**a le tue abilità linguistiche leggendo racconti.

Quando nasciamo, esiste in noi ogni possibilità di pronunciare e imparare ogni suono in ogni lingua. Ma presto i nostri cervelli stabiliscono percorsi neurali che si intrecciano con i suoni e parole che ascoltiamo quotidianamente, eliminando suoni e parole di altre lingue.

La serie **Unlock Ignite Transform** ha lo scopo di sbloccare il potere del vostro subconscio e aiutarvi a far riemergere quelle abilità che sono sempre state a vostra disposizione.

Il nostro subconscio è pronto a eseguire qualsiasi messaggio che inviamo e riprodurlo nella nostra realtà fisica, come una stampante.

In questo libro non troverete alcun dizionario, sinonimo o punto grammaticale perché ciò segnalerebbe al vostro subconscio che state *imparando* e *praticando* una nuova lingua.

Invece, vogliamo inviare il messaggio che state leggendo in

are *bilingual*.

The series offers parallel text in both English and Italian to enjoy contemporary literature in both languages (there is no need to constantly refer back to a dictionary because you *already ARE bilingual*).

The more you get the message to your subconscious mind that is *normal* for you to read either language, the more your subconscious will try to demonstrate to you that this is indeed correct.

The second short story in the series is **A New York Adventure.**

Troubled with sorrow after the break-up of a long term relationship Gabrielle sets out for a sabbatical in New York. A travelogue searching for self, pleasure and fun. And the Big Apple doesn't disappoint.

Happy reading!

due lingue perché *le conoscete già entrambe e siete bilingue.*

La serie offre testi paralleli sia in inglese che in italiano per godersi la letteratura contemporanea in entrambe le lingue (non c'è bisogno di fare costantemente riferimento a un dizionario perché *SEI già bilingue*).

Più il vostro subconscio riceve il messaggio che è normale per voi leggere in entrambe le lingue, più cercherà di dimostrarvi che questo è davvero corretto.

Il secondo racconto incluso in questo serie è **Un'Avventura NewYorkese.**

Turbata dopo la fine di una relazione a lungo termine, Gabrielle parte per un sabbatico a New York. Un diario di viaggio alla ricerca di sé, del piacere e del divertimento. E la Grande Mela non delude.

Buona lettura!

*To New York, one of my three loves*

*A New York, uno dei miei tre amori*

"YOU'RE ONLY HERE NOW;
YOU'RE ONLY ALIVE IN THIS MOMENT"
**- JON KABAT-ZINN**

"SEI QUI SOLO ORA;
SEI VIVO SOLO IN QUESTO MOMENTO"
**- JON KABAT-ZINN**

# A NEW YORK ADVENTURE

Gabrielle was getting ready to go out.
A surprise from Mr Wonderful.

Out for dinner and then to the Opera. Going out again felt incredible after almost two years of off and on lockdowns. They were celebrating the day that they met. He was always full of surprises: spontaneous, romantic and thoughtful.

She hadn't had the time to think carefully about what to wear and was getting ready at the last minute. She decided on wearing the same dress she wore when they met: the white dress culpable for so many mischiefs, the dress that started it all.

Albeit it was so lovely to go out again now that all the restrictions had been lifted, it was also so strange seeing a mix-match of people with and without masks everywhere you went. The anxiety and slight fear when hearing someone coughing. You can just see the suspicion on people's faces. "Has he/she got IT?" The new dreaded C-word.

However, slowly and surely, life is getting back to normality. Time is passing by, and life needs to go on. She missed travelling and going out. Socialising and the theatre, she loved the theatre, and Mr Wonderful knew her well.

BANG! Ouch...

The collision was surprisingly strong, considering they were both just walking.

# UN'AVVENTURA NEWYORKESE

Gabrielle si stava preparando a uscire.

Una sorpresa da Mr Wonderful.

Fuori a cena e poi all'Opera. Uscire di nuovo era incredibile dopo quasi due anni di lockdown. Andavano a festeggiare il giorno in cui si erano incontrati. Era sempre pieno di sorprese lui: spontaneo, romantico e premuroso.

Non aveva avuto il tempo di riflettere attentamente su cosa indossare e si stava preparando all'ultimo minuto. Aveva deciso di indossare lo stesso vestito che indossava quando si erano incontrati: l'abito bianco colpevole di tanti misfatti, l'abito che ha dato inizio a tutto.

Sebbene fosse così bello uscire di nuovo ora che tutte le restrizioni erano state revocate, era anche così strano vedere un mix-match di persone con e senza mascherine ovunque uno andasse. L'ansia e la lieve paura quando si sente qualcuno tossire. Puoi vedere il sospetto semplicemente guardando i volti delle persone. "Lui/lei ce l'ha?" La nuova temuta parola con la C maiuscola.

Tuttavia, lentamente e inesorabilmente, la vita stava tornando alla normalità. Il tempo passa e la vita deve continuare. Le era sempre mancato il viaggiare e uscire. La socializzazione e il teatro, amava il teatro e Mr Wonderful la conosceva bene.

BANG! Ahia…

La collisione era stata sorprendentemente forte, considerando che entrambi stavano solo camminando.

Gabrielle had lost her balance, but he was quick and promptly grabbed her by the waist to keep her from falling. Unfortunately, her coffee wasn't that lucky and splattered everywhere.

Unfortunately, her coffee wasn't that lucky and splattered everywhere.

E-V-E-R-Y-W-H-E-R-E on her white dress.

Memories. The smell of coffee and cologne. He smelled real good. Affirmations were still playing in her ears when they banged into each other.

"I am a Goddess; I am a Queen"
  - very empowering, perhaps a tad scary for a man to hear when they first meet you.

"I am so so sorry," he said.

"Gosh, thank you, Jesus, he is so handsome,"

Gabrielle thought as she looked up at the piercing blue eyes, the dazzling smile peaking through the mask now half down his chin.

Gabrielle felts like he was looking straight into her soul. He was genuinely mortified by what had happened.

"I'm OK, thank you. Not a big deal, really. It is only coffee," she said, playing it cool.

He didn't stop looking straight into her eyes, not even for a second. She didn't know if to back up to keep some parvence of social distancing (and decor) or hold the stare. Fuck it. Hold it.

Gabrielle aveva perso l'equilibrio, ma lui fu veloce e l'afferrò prontamente per la vita per non farla cadere. Sfortunatamente, il suo caffè non era stato così fortunato e schizzò ovunque.

O-V-U-N-Q-U-E sul suo vestito bianco.

Ricordi. L'odore del caffè e della colonia. Un profumo davvero buono. Le affermazioni le stavano ancora risuonando ancora nelle orecchie quando si scontrarono.

"Io sono una Dea; sono una Regina" - le affermazioni erano molto abilitanti ad ascoltare per lei, come una donna, ma forse un po' allarmante per un uomo a sentire quando ti incontra per la prima volta.

"Mi dispiace così tanto", lui disse.

"Cavolo, grazie Gesù, è così attraente",

Gabrielle pensava mentre guardava i suoi occhi penetranti azzurri e il sorriso smagliante che spuntava dalla mascherina ora quasi a metà del suo mento.

Gabrielle si sentiva come se lui stasse guardando dritto nella sua anima. Era sinceramente mortificato per quello che era successo.

"Sono OK, grazie. Non è un grosso problema, veramente. È solo caffè", lei disse, facendo l'indifferente.

Non smise di guardarla dritto negli occhi nemmeno per un secondo. Gabrielle era indecisa se indietreggiare per mantenere un po' di distanziamento sociale (e decoro) o continuare a fissarlo. Fanculo. Fissa.

She felt like getting closer instead. She didn't. He offered to get her dress dry-cleaned for her. Gabrielle wondered if he was living in London or if he got stuck here when lockdown started. He had that distinctive North American, New York accent.

"Please, let me do this for you. I live just around the corner: if the dry-cleaners are closed, I can wash your dress and have it ready in a couple of hours. Perhaps even make you a coffee while you wait. One that you can drink this time,"
    he insisted.

"Wait, did he just ask me back to his place and offer to wash my dress?" pondering,
    "This is the type of exchange you see in Hallmark movies. Or the real crime police dramas".

She squinted with her deep dark eyes staring into his and said:

"Is this a cheap ploy to see me naked?"

"No, no, no, YES "
    ... mortified

"No, no. I mean would be great but no".

She smiled profusely and felt like teasing him.
    "I feel like I'm in a scene from the Vicar of Dibley: where is the camera?"

"What?"
    looking puzzled and obviously not getting the reference.

"Sorry, British cultural reference. I'm kidding. I'm OK, seriously, no need to go through that much trouble. It is only coffee".

Al contrario, aveva voglia di avvicinarsi. Ma no, non lo fece. Lui offrì di farle lavare il vestito a secco. Gabrielle nel frattempo stava ipotizzando se lui vivesse a Londra permanentemente o se fosse rimasto bloccato quando era iniziato il lockdown. Aveva quel caratteristico accento nordamericano, newyorkese può darsi.

"Per favore, lascia che lo faccia. Abito dietro l'angolo: se le tintorie sono chiuse, posso lavare il vestito io e averlo pronto in un paio d'ore. Magari posso anche prepararti un caffè mentre aspetti. Uno che puoi bere questa volta",
    insisteva.

"Aspetta, mi ha appena chiesto di tornare a casa sua e si è offerto di lavarmi il vestito?" lei pensava mentre lui parlava.
    "Questo è il tipo di scambio che vedi nei film di Hallmark. O nei drammi polizieschi".

Gabrielle strizzò i suoi occhi scuri e profondi mentre continuava a fissarlo e disse:

"È questo uno stratagemma per vedermi nuda?"

"No, no, no, SI"...
    mortificato,
    "No, no. Voglio dire, sarebbe bello, ma no".

Lei sorrise profusamente e aveva voglia di prenderlo in giro.
    "Mi sembra di essere in una scena del Vicario di Dibley: dov'è la telecamera?"

"Cosa?" lui disse perplesso e ovviamente non capendo il riferimento.
    "Scusa, riferimento culturale britannico. Sto scherzando. Sto bene, sul serio, non c'è bisogno di disturbarti così tanto. È solo caffè".

And then he asked her for a date. Gabrielle remembered how she quickly glanced at his hands to see if there was any appearance of a wedding ring. Both hands, to be sure. And no, there was no ring or any signs that he was wearing one regularly either.

He offered to cook too.

"What about social distancing?"
    Gabrielle said.

"I think we broke that rule already. We can eat outside if that makes you feel any better or safer,"
    he said.

"I don't know you".

"I'm trying to remedy that",
    and sensing her reluctance
    "Can I have at least your number?"

Gabrielle was intrigued and attracted to him, so she gave him her number. He had just finished tapping her number into his mobile when her phone started ringing in her pocket.

"Are you going to get that?" He asked.

"Pardon?"
    "Your phone, are you going to answer it?"

"No, it's rude; I am talking to you. I can see who called me later".

"It's me".

"You can't be missing me already; I'm still here,"
    Gabrielle said (he is keen, a good sign).

E poi le chiese di uscire con lui. Gabrielle si ricordò di come aveva guardato subito alle sue mani per vedere se c'era qualche segno di una fede nuziale. In entrambe le mani, per essere sicura. E no, non c'era nemmeno un anello o nessun segno che ne indossasse uno regolarmente.

Si offrì di cucinare anche.

"E il distanziamento sociale?",
   lei chiese.

"Credo che abbiamo già infranto quella regola. Possiamo mangiare all'aperto se questo ti fa sentire meglio o più al sicuro",
   lui rispose.

"A dir la verità, non ti conosco".

"Sto cercando di rimediare" e percependo la sua riluttanza,
   "posso avere almeno il tuo numero?"

Gabrielle era incuriosita e molto attratta da lui e così glielo diede. Lui aveva appena finito di registrare il suo numero sul suo cellulare quando il telefonino iniziò a squillarle in tasca.

"Hai intenzione di prenderla ?" chiese.

"Scusa?"

"Il tuo telefono, hai intenzione di rispondere all chiamata?"

"No, sto parlando con te, è scortese. Posso vedere chi mi ha chiamato più tardi".
   "Sono io".

"Di sicuro non ti posso già mancare; sono ancora qui",
   disse Gabrielle (è interessato, un buon segno).

"I just want to make sure I have the right number. And you now have mine too"

he was grinning too.

"Are you sure I cannot convince you to have dinner with me tonight?"

He was sure of himself without being arrogant and persistent. He knew exactly what he wanted and was going for it.

Gabrielle felt really good about the encounter and excited as she hadn't been for a long time. She remembered waving and walking away. Actually, she had never felt like this before. Her body was on fire, her spirit soaring, and she was walking on clouds.

It would have been the perfect exit had she not turned around to see if he was still there. But she couldn't help herself. She had to.

He was still there, standing still, looking. Smiling.

As she turned around the corner, her phone vibrated, a text:

"Now, I __am__ missing you."

"that's understandable", she replied.

Just like that, that day, everything changed. He was everything she always wanted but wasn't quite ready for before. And it was still going.

"Honey, are you almost ready?"

"Voglio solo assicurarmi di avere il numero giusto. E ora tu hai anche il mio"

lui disse sorridendo.

"Sei sicura che non ti posso convincere a cenare con me stasera?"

"Non stasera".

"Un'altra sera allora. Domani?"

Era sicuro di sé senza essere arrogante o ostinato. Sapeva esattamente cosa voleva e ci stava provando.

Gabrielle si sentiva davvero positiva per questo incontro ed era eccitata come non lo era stata da molto tempo. Ricordò di averlo salutato con la mano e di aver cominciato ad andarsene. In realtà, non si era mai sentita così prima. Il suo corpo era in fiamme, il suo spirito nelle stelle, e le sembrava di camminare sulle nuvole.

Sarebbe stata l'uscita perfetta se non si fosse girata per vedere se lui era ancora lì. Ma non poteva trattenersi. Doveva farlo.

Era ancora lì, fermo, a guardarla. Sorrideva.

Mentre Gabrielle stava svoltando l'angolo, si accorse che il suo telefonino stava vibrando, un messaggio:

"Ora mi manchi",

"Compresibile",

lei rispose.

Proprio così, quel giorno, tutto cambiò. Lui era tutto ciò che aveva sempre desiderato ma non era mai stata pronta prima. E la loro storia stava ancora continuando.

"Tesoro, sei quasi pronta?"

Mr Wonderful asked, peeking through the bedroom door,
"the Uber will be here in the next few minutes".

"Where are we going exactly now?"
as it was too early for the Opera.

"Dinner".

"I know, you said. Where though?"
Gabrielle, the in-control planner, needed to know.

"I made a reservation for Balthazar in Covent Garden".

Nice, and walking distance to the Royal Opera House. She had
mentioned to him that she had been in New York; he must have
remembered.
Balthazar was busy. Very.

They were greeted as the walked in and taken straight to their
table. The relatively small room, with faux-nicotine-stained walls,
a station clock, and the poised amber hue, is almost made for
Instagram.

There was a lively buzz in the air.

Just as well, Mr Wonderful had made a reservation because there
was a queue outside waiting to be seated, and many who tried a
walk-in turned away, disappointed with the wait.

Gabrielle ordered the mussels for the starter and steak tartare for
the main course. Mr Wonderful had ordered champagne seemingly on tap to wash everything down.

Mr Wonderful le chiese, sbirciando attraverso la porta della camera da letto,
"l'Uber sarà qui nei prossimi minuti".

"Dove stiamo andando esattamente adesso?" lei le domandò, era troppo presto per l'Opera.

"Cena".

"Lo so, lo hai detto prima. Ma dove?",
Gabrielle, l'organizzatrice sempre in controllo, doveva sapere.

"Ho prenotato a Balthazar, in Covent Garden".
Bel posto , e a pochi passi dalla Royal Opera House. Gabrielle aveva menzionato una volta che ci era stata a New York; lui deve averlo ricordato.

Balthazar era affollato. Molto.

La *concierge* li accolse mentre entravano e li portò direttamente al loro tavolo. Il locale era relativamente piccolo, con pareti macchiate da finta nicotina, un orologio che una volta apparteneva alla parete di una stazione e una tonalità ambrata, sembrava quasi fatto apposta per Instagram.
C'era un vivace ronzio nell'aria.

Meno male che Mr Wonderful aveva prenotato perché fuori c'era una fila in attesa di essere seduti e molti di quelli che avevano provato a entrare senza prenotazione se ne stavano andando, delusi dall'attesa.

Gabrielle ordinò le cozze per antipasto e la bistecca alla tartara per portata principale. Mr Wonderful aveva ordinato champagne apparentemente alla spina per mandare giù tutto più facilmente.

He was soo good at remembering all the little details and celebrating every occasion, no matter how small or big. Anything she ever said, he listened and acted upon. She was speechless actually that he remembered so much about everything that she told him.

He was spontaneous, romantic, thoughtful, and passionate with piercing blue eyes. No wonder she called him Mr Wonderful.

They were seated in the right-hand corner of the restaurant, just in front of the bar with a good view of the room and the window, great for people-watching, should you want to.

They could barely hear each other lost amongst the live jazz, the chitchat and the noise of plates and cutlery, but, at the same time, it was very intimate and cosy. Even in the middle of a crowd, Mr Wonderful only had eyes for her.

*Chitchat, chitchat.*

The same sounds, different vibe.

*Clink clink … clink …*

Gabrielle adored grand set-piece spectacular restaurants with ambience, and Balthazar is undoubtedly that and perhaps, one of the best brasseries in London for its atmosphere, happy, friendly staff and service, living up to the reputation of his New York City original.

The first time she had visited Balthazar in New York was on the weekend for brunch, steak and eggs, New York pancakes and Balthazar Bloody Mary.

Era così bravo a ricordarsi tutti i piccoli dettagli e celebrare ogni occasione, non importava quanto piccola o grande fosse. Qualunque cosa lei diceva, lui l'ascoltava e poi agiva. In realtà era senza parole che ricordasse così tanto di tutto ciò che gli aveva detto.

Era spontaneo, romantico, premuroso e appassionato. E con penetranti occhi azzurri. Non c'è da stupirsi che lei lo chiamasse Mr Wonderful.

Erano seduti nell'angolo destro del ristorante, proprio di fronte al bar con una buona vista della stanza e della finestra, posto ottimo per osservare la gente, se uno voleva.

Riuscivano a malapena a sentirsi l'un l'altro, persi tra il jazz dal vivo, il chiacchierio della gente e il rumore di piatti e posate, ma, allo stesso tempo, l'atmosfera era molto intima e accogliente. Anche in mezzo alla folla, Mr Wonderful aveva occhi solo per lei.

*Chiac - chiere, chiac - chiere.*

Gli stessi suoni, un'atmosfera diversa.

*Tin tintin ... tin ...*

Gabrielle adorava i ristoranti grandiosi e spettacolari con atmosfera, e Balthazar è senza dubbio grandioso, forse una delle migliori *brasserie* di Londra per il suo *ambience* e personale cordiale e di buon umore e con servizio all'altezza della reputazione dell'equivalente in New York City.

La prima volta che lei era andata a Balthazar in New York era stato un fine settimana per il brunch, bistecca uova e pancakes newyorkesi con un Bloody Mary Balthazar.

The VP took her there. They had only just met a few days earlier.

*skahdeedath bideedoodop... gahdugat ...*

"NYC Balthazar is much bigger than this one", was going through her head.

It was in the midst of the full Sex and The City hype at that time. A place everyone wanted to be seen at.

And the VP made sure they had the most visible table in the room.

He was waving at people, smiling.

"You see that man on the corner?"

Gabrielle turned her head slightly to see what he was talking about.

"He is the CEO of such and such .... Major client".

"That one over there is the anchor of NBC News",

name dropping

"and that blonde woman over there is in a famous soap opera".

People watching. Or, even more important, been watched. They were seated bang in the middle of the room, which was definitely good for that. Not a great table to have a conversation and get to know someone.

Then again, Gabrielle didn't think that's why they were there.

That was the first date with the VP after Gabrielle arrived in New York.

Il VicePresidente l'aveva portata lì. Si erano conosciuti solo pochi giorni prima.

*skahdeedath bidedoodop... gahdugat ...*

"NYC Balthazar è molto più grande di questo", le passava per la testa.

A quel tempo era proprio nel bel mezzo del pieno clamore di Sex and The City. Un posto in cui tutti volevano essere visti.
E Il VicePresidente si era assicurato il tavolo più visibile del locale.
Salutava le persone, sorrideva.

"Vedi quell'uomo nell'angolo là?"
Gabrielle girò leggermente la testa per vedere di chi stesse parlando.

"È l'amministratore delegato dell'azienda tale dei tali... Un cliente importante".

"Quella laggiù è la conduttrice di NBC News",
   nome famoso buttato lì per caso
   "e quella bionda laggiù è in una famosa telenovela".

Un posto per osservare le persone. O, ancora più importante, essere osservati. Erano seduti in mezzo alla stanza, il che serviva decisamente al quel proposito. Non un ottimo tavolo per conversare e cercare di conoscere qualcuno.

In ogni caso, Gabrielle non pensava che fossero lì per questo.

Quello fu il primo rendez-vous con il VicePresidente dopo l'arrivo di Gabrielle a New York.

The trip was a last-minute decision after a long-term relationship break-up.

Another failed relationship.

Gabrielle had reached boiling point and felt claustrophobic. She needed to escape, an adventure, re-group and re-think what she would do. She felt like she had thrown five years down the drain. She had given everything she could and had nothing more to offer right now.

"Let's get married and have babies,"
he said out of the blue, after five years and all the previous talk about a commitment that went nowhere.

Unbelievable. Too little, too late.

Mentally she had moved on. She wasn't sure anymore if she saw a future with him. Growing old with him. Or as the father of her children.

Her friends always told her,

"Why don't you get pregnant?
You know, a-c-c-i-d-e-n-t-a-l-l-y. Things happen all the time, and you'll at least have a child".

Gabrielle knew that some (many? few?) women do that, and sometimes it works well. Sometimes not so much.

But she, she could never bring herself to do it. To even try.

There are enough unwanted children in the world, and bringing another potential unwanted one in didn't feel like an option to her.

Il viaggio era stato una decisione dell'ultimo minuto dopo la rottura di una relazione a lungo termine.

Un'altra relazione fallita.

Gabrielle aveva raggiunto il punto di ebollizione e si sentiva claustrofobica. Aveva avuto bisogno di scappare, un'avventura, di riorganizzarsi e ripensare a cosa voleva fare. Si sentiva come se avesse buttato cinque anni della sua vita giù nello scarico. Aveva dato tutto quello che era capace di dare e, in quel momento, non aveva più niente da offrire.

"Sposiamoci e facciamo dei bambini",
      lui le aveva detto di punto in bianco, dopo cinque anni e tutti i discorsi precedenti di accasarsi che non erano andati da nessuna parte.

Incredibile. Troppo poco e troppo tardi.

Mentalmente lei l'aveva già lasciato. Non era più sicura di un futuro con lui. Invecchiare con lui. O di vederlo come padre dei suoi figli.

Le sue amiche le dicevano sempre:
      "Perché non rimani incinta? Sai, p-e-r c-a-s-o. Queste cose succedono, e almeno avrai un figlio".

Gabrielle sapeva che alcune (molte? poche?) donne fanno questo, intenzionalmente, e a volte le relazioni hanno successo. A volte non così tanto.

Ma lei, non era mai riuscita a farlo. Neanche provarci.

Ci sono abbastanza bambini indesiderati nel mondo e portarne un altro, potenzialmente indesiderato, non era, per lei, la scelta giusta da fare.

Although to be fair, she was always planning for her career, move after move, and it never quite seemed to be the right time to get pregnant.

Moving town, travelling, and a new bigger job always sounded more like desirable and viable options.

Perhaps she didn't want a child.

The idea of a child, yes. The idea of being a mother, yes.

Doing it not so much. She had thought if having children was so ingrained that she had to want it, being a mother as the pinnacle of being a woman. She always wanted to be free.

Always wanted to travel, free to do what she wanted, when she wanted.

Marriage too.

The idea of an all-encompassing, consuming, can't live without someone love affair was thrilling. A strong man to look after her. Finding a man she could bear 24/7 without feeling trapped, not so much. And now, all she wanted was to take off.

Just go somewhere.

New York - the Big Apple dream - had always been lurking in the background. This was the perfect opportunity to take the plunge. So she wrote to her boss requesting time off and got her tickets. Three months in New York, a mini-sabbatical. Longer than a holiday but short enough not to need a working visa.

Per dire la verità , lei pianificava la sua carriera in continuazione, mossa dopo mossa, e non sembrava mai essere il momento giusto per rimanere incinta.

Spostarsi città, viaggiare e un nuovo lavoro più importante sembravano sempre opzioni più desiderabili e possibili.

Forse non voleva un figlio.

L'idea di un bambino, sì. L'idea di essere madre, sì.

Averlo non così tanto. Qualche volte aveva pensato se avere figli fosse un pensiero così profondamente indottrinato che doveva desiderarlo, essere madre come l'apice dell'essere donna. Lei ha sempre voluto essere libera.

Ha sempre voluto viaggiare, libera di fare quello che voleva, quando voleva.

Idem per il matrimonio.

L'idea di avere una storia d'amore onnicomprensiva, che quasi ti consuma, e di trovare qualcuno che è impossibile di vivere senza era elettrizzante. Un uomo forte che può prendere cura di te. Però trovare un uomo che puoi sopportare ventiquattro ore su venti-quattro, sette giorni su sette senza sentirsi intrappolata, non tanto. E ora, l'unica cosa che voleva era andarsene.

Da qualsiasi parte.

New York - il sogno della Grande Mela - era sempre stato lì a aspettare sul sottofondo, come in agguato. E adesso, questa era stata l'occasione perfetta per fare il grande passo. Così aveva scritto al suo capo, chiesto una lunga pausa dal lavoro e aveva ottenuto i biglietti per il viaggio. Tre mesi a New York, un mini-sabbatico. Più lungo di una vacanza ma abbastanza breve da non aver bisogno di un visto di lavoro.

On her taxi ride to the airport, she felt like Indiana Jones
(ok, mini Indiana Jones); it was her first-ever trip alone, non-work-related.

Not visiting anybody. Nothing planned. Just her and New York.
Exhilarating and scary AF.

The flight felt much longer than she imagined, maybe because she had to squeeze between two enormous individuals overflowing into her seat. Perhaps because they never stopped moving, talking, eating. ALL the way throughout the flight.

"Jesus, what's wrong with actually keeping quiet for a few hours. Or just sleep",
she asked herself, already knowing the answer. To Gabrielle, it felt like people are afraid of silence, and they need desperately to fill in.

"God knows what they are afraid will happen if they are alone with their thoughts. So most of the time, people fill the void with absolute total nonsense. And unfortunately, on a plane, there isn't much of an escape route. You have to listen. Well, kind of".

*Chitchat, chitchat, blah blah blah...*

And constant eating.

"Really? Who brings snacks on a long haul flight? I'm sure starvation will not sneak up on you if you don't constantly munch on something. Out loud. The airline already provides food, starvation prevented".

Durante il suo transito in taxi verso l'aeroporto, si era sentita come Indiana Jones

(ok, una mini Indiana Jones); era il suo primo viaggio da sola in assoluto, non legato al lavoro.

Nessuno da visitare. Nessun piano. Solo lei e New York.
Fottutatmente esilarante e spaventoso.

Il volo le sembrò molto più lungo di quanto aveva immaginato, forse perché doveva stringersi tra due enormi individui che quasi straripavano sul suo sedile. O forse perché gli stessi due non avevano mai smesso di muoversi, parlare, mangiare. Per TUTTO il tragitto, per tutto il volo.

"Gesù, cosa c'è di male a stare zitti per qualche ora. O semplicemente dormire",

lei si era chiesta per tutto il viaggio conoscendo già la risposta. A Gabrielle sembrava che le persone avessero paura del silenzio e che avessero un disperato bisogno di riempirlo.

"Dio solo sa che cosa temono che succede se sono soli con i loro pensieri. Quindi la maggior parte delle volte, riempiono il vuoto con assurdità totali assolute. E sfortunatamente, su un aereo, non c'è dove da fuggire. Devi ascoltare. Beh, più o meno".

*Chiac- chiere, chiac- chie- re, bla bla bla...*

E mangiavano pure, costantemente.

"Veramente? Chi porta spuntini su un volo a lungo raggio? Sono sicura che la fame non ti prenderà di sorpresa se non sgranocchi qualcosa costantemente. Rumorosamente pure. La compagnia aerea fornisce già cibo, non vai a morire di fame", pensava annoiata.

Note to self: MUST book business class for the return flight.

As the plane landed at JFK, people proceeded calmly out of the aircraft, following the different signs directing toward Customs and Border Protection. Brits are good at queuing, and it comes naturally. Whilst the passengers were arriving near the actual desks, Gabrielle was jilted out of her thoughts:

"Ma'am, step behind the yellow line".

"Is she talking to me?"
    Gabrielle thought. "Did she just call me Ma'am?"

She didn't know if she was more upset about being called Ma'am ("do I look that old?"), especially as the officer didn't look that much younger herself or being shouted at by an overbearing sturdy officer WITH A GUN.

Apparently, she was doing something wrong. Gabrielle didn't know what it was, but it seemed to have annoyed her. A lot.
    The Border Protection officer got closer to Gabrielle, far too close for comfort because she was sure they weren't about to *faire la bise* and proceeded to shout, again, explaining
    ("I must have looked really tick", she wondered),

"Ma'am, step behind the yellow line. You have not been admitted into the United States until you have gone through my colleague at the desk. Step behind the yellow line."

"What? Really? I'm pretty sure the plane landed at JFK, and I'm pretty sure JFK happens to be in the US of A. So what is she going to do? Throw me back into the sea?"

Nota per se stessa: devo prenotare la business class per il volo di ritorno.

Quando l'aereo atterrò all' aeroporto JFK, le persone scesero dall'areo con calma, seguendo i diversi segnali diretti verso la dogana. Gli inglesi sono bravi a fare la fila e viene naturale. Mentre i passeggeri stavano arrivando vicino ai banchi doganali, Gabrielle fu distolta dai suoi pensieri;

"Signora, si metta dietro la linea gialla".

"Sta parlando con me?" pensò Gabrielle: "Mi ha appena chiamato Signora?"

Non sapeva se fosse più irritata per essere stata chiamata Signora ("sembro così grande?"), soprattutto perché l'ufficiale non sembrava molto più giovane lei stessa, o per era stata sgridata da un'agente prepotente e robusta CON PISTOLA .

Apparentemente, stava facendo qualcosa di sbagliato. Gabrielle non sapeva cosa fosse, ma sembrava che l'avesse infastidita. Molto.

L'addetta protezione delle frontiere si avvicinò a Gabrielle, troppo vicino per il suo gusto specialmente perché era sicura che non stessero per baciarsi, mentre continuava a gridare, ancora spiegando

("Sicuramente le sembrare una cretina", si era chiesta),

"Signora, stia dietro la linea gialla. Non è ancora ammessa negli Stati Uniti finché non è passata al controllo passaporti con il mio collega al banco. Si metta dietro la linea gialla."

"Cosa? Davvero? Sono abbastanza sicura che l'aereo sia atterrato a JFK, e sono abbastanza sicura che JFK si trova negli Stati Uniti d' America. Quindi cosa farà? Mi ributta indietro nel mare?"

As all these thoughts were going through her mind, Gabrielle sheepishly said,

"Sure, no problem, officer"

she didn't feel that courageous to argue with an armed, angry person in authority.

The reputation of trigger-happy American police (whatever) is infamous and, unfortunately, or fortunately, was imprinted in her mind. She also had images of being locked up with no contact with the external world and sent back. Or kept somewhere.

God knows where.

"I have watched too many police movies,"

Gabrielle thought.

What a contrast from the officer behind the desk.

He was a young male in his late twenties or early thirties, seemingly shy. And he was unlucky enough to have three ladies who had just landed from Manchester at his desk. They were having a great time, which seemed to have started on their plane, or before, with copious alcohol. One might say they were "tipsy".

And determined to have a good time.

New York was their stop for the night before embarking on a Caribbean cruise, and they were officially on holiday, probably FROM Manchester. They must have been in their late fifties, early sixties, or at least what looked like sixty or thereabout in Gabrielle's mind. They were making all sorts of advances to the poor guy who, by now, had become red-faced up to his roots.

And was getting redder by the minute.

Mentre tutti questi pensieri le passavano per la mente, Gabrielle disse invece imbarazzata:

"Certo, nessun problema agente",

non si sentiva così coraggiosa da far discussione con una persona in autorità armata e annoiata.

La reputazione della polizia americana per il grilletto facile (non importa come) è famigerata e, sfortunatamente, o fortunatamente, era impressa nella sua mente. Aveva anche immagini di essere rinchiusa senza alcun contatto con il mondo esterno e rimandata indietro. O tenuta da qualche parte.

Dio solo sa dove.

"Ho visto troppi polizieschi",

pensò Gabrielle.

Che contrasto con l'ufficiale dietro il banco.

Era un uomo giovane, sulla ventina o i trenta, apparentemente timido. E, sfortunatamente per lui, aveva in fronte tre signore appena sbarcate da Manchester. Loro si stavano divertendo molto, e sembrava che il divertimento fosse iniziato sull' aereo, o forse anche prima, con abbondante alcol. Si potrebbe dire che erano "brille".

E decise a divertirsi.

New York era la loro tappa per la notte prima di imbarcarsi per una crociera nei Caraibi, ed erano state *ufficialmente* in vacanza probabilmente dall'inizio del viaggio in Manchester. Le signore sembravano più o meno sui cinquanta o primi sessanta, o almeno come sessant'anni o giù di lì sembrava a Gabrielle. Stavano facendo ogni sorta di avance al pover'uomo che, ormai, era diventato rosso in faccia fino alle radici.

E lui stava diventando sempre più rosso ogni minuto che passava.

They were totally shameless, and who can blame them? He was cute, wearing a uniform (always helps) and reinforced by each other and vodka martinis.

He couldn't wait to get them off his desk soon enough.
Bless.

Then came her turn. Gabrielle was sure she had never been asked that many questions going through any other customs in any other country. At least she couldn't remember. Neither did she think they sounded like legitimate questions (to grant entry into the country).

Perhaps he was reasserting his authority and regaining control after the cruise ladies, or maybe that's what he usually asked. Who knows.

Gabrielle preferred to think there was some mild flirtation going on. But, hey, he was cute, and it was a friendly welcome to New York. She felt smug and almost tempted to turn back and poke her tongue out at the

"Step behind the yellow line" officer but thought perhaps better not.

She stepped out of the airport and looked for the taxi lane.

"324 West 44th Street, please. The TownePlace Suite Manhattan, please"
let the adventure begin.

As they were driving toward the city, the taxi driver made small talk. Gabrielle was distracted: she was soaking in the atmosphere, excited about what the next three months would bring.

Erano totalmente svergognate e chi può biasimarle? Era carino e indossava un'uniforme (aiuta sempre), rassicurate l'una dall'altra e più dai vodka martini.

L'agente non vedeva l'ora di mandarle via dal suo banco il più presto possibile.
Poverino.

Poi venne il suo turno. Gabrielle era sicura che non le erano mai state poste così tante domande per entrare in nessun altro paese. Almeno non si ricordava. Né pensava che fossero tutte domande legittime (per concedere l'ingresso nel paese).

Forse stava riaffermando la sua autorità or cercava di riprendere il controllo dopo le signore prima della crociera, o forse è quello che chiedeva di solito. Chi lo sa.

Gabrielle preferiva pensare che ci fosse un lieve flirt in corso. Ma, ehi, era carino, ed era un cordiale benvenuto a New York. Si sentiva compiaciuta e quasi tentata di tornare indietro e tirare fuori la lingua verso l'ufficiale del
"Stia dietro la linea gialla", ma pensò che forse era meglio di no.

Uscì dall'aeroporto e cercò la corsia dei taxi.

"324 West 44th Street, per favore . The TownePlace Suite Manhattan, per favore "
che l'avventura abbia inizio.

Mentre stavano guidando verso la città, il tassista chiacchierava. Gabrielle era distratta: era immersa nell'atmosfera, entusiasta per quello che i prossimi tre mesi le avrebbero portato.

She had chosen an extended-stay boutique-style hotel right in the heartbeat of NYC's Times Square and within walking distance to Broadway, Restaurant Row, Macy's Herald Square, Empire State Building and many other famous attractions.

She wanted to have the most authentic experience possible in a neighbourhood-style accommodation with a kitchenette.

Of course, New York is full of places to eat everywhere, and she could easily go out for dinner if she wanted to. However, she both liked the convenience and pretending she was living there, if only for a little bit.
Perhaps cook a few meals from time to time.

Come to think of it, Gabrielle had never been out for dinner or in a pub by herself.

E-V-E-R.

Even when meeting people, she always checked to ensure they arrived first.

"Baby steps Gabri, baby steps,"
she said to herself.

She flew in early in the morning to enjoy almost a full first day and then crash at "normal" sleeping time to beat the jet lag. She arrived at the hotel around 2 pm and, after a quick shower and change of clothes, she was ready to start exploring.

Gabrielle had bought an Insight New York City Pocket Map that she had studied on the plane and planned a few days out.

Aveva scelto un Hotel boutique per soggiorni prolungati proprio nel cuore di Times Square a New York e a pochi passi da Broadway, Restaurant Row, Macy's Herald Square, Empire State Building e molte altre famose attrazioni.

Voleva avere l'esperienza più autentica possibile in un alloggio in stile quartiere che aveva un piccolo luogo cucina.

Naturalmente, New York è piena di posti dove mangiare ovunque e lei potrebbe facilmente uscire a cena se voleva. Tuttavia, le piaceva sia la comodità e pretendere di vivere lì, anche se solo per un po'.

Forse cucinare qualche pasto di tanto in tanto.

A pensarci bene, Gabrielle non era mai stata fuori a cena o in un pub da sola.

M-A-I.

Anche quando incontrava le persone, controllava sempre che arrivassero per prime.

"Piccoli passi Gabri, piccoli passi",
    si disse.

Aveva preso un volo alla mattina presto per godersi il primo giorno in New York quasi intero e poi andare a letto a un orario "normale" per battere il jet lag. Era arrivata in hotel verso le due del pomeriggio e, dopo una doccia veloce e un cambio di vestiti, era pronta a iniziare con l'esplorazione della città.

Gabrielle aveva comprato una mappa tascabile Insight di New York City che aveva studiato sull'aereo e aveva pianificato già qualche escursione.

"I know it's an adventure, but some structure won't go amiss".

She had been trying to decipher the New York street system …

"Odd-numbered streets go west, and even-numbered streets go east. Right, ok …. And odd-numbered buildings are on the north side of the street, and even-numbered addresses are on the south. So streets run east to west, and avenues run north to south. I think I got it".

She ventured to Time Square, then the New York Public Library on Fifth Avenue and then a little spontaneous wander for her first outing.

Everything was so new and yet so familiar. She recognised buildings and streets at almost every other turn.

Hello there, she thought as a handsome guy was walking by, going in the opposite direction.

"Talk to self; you just arrived, Gabri. Give it time".

As they crossed each other paths, the stranger smiled at her, a dazzling smile. He wasn't her usual type. She usually liked the tall, dark, handsome ones (or blonde) but definitely tall. She was 5.5ish and liked wearing heels.

He was more of an average height, a.k.a. shorter, with a soap opera-ish all American look.

"Nice shoes", he said.

Interesting pick-up line.

"Pardon?"

Gabrielle replied.

"So che è un'avventura, ma un po' di struttura non guasterà".
Aveva cercato di decifrare il sistema stradale di New York...

"Le strade dispari vanno a ovest e le strade pari vanno a est. Giusto, OK ... E gli edifici dispari si trovano sul lato nord della strada e gli indirizzi pari si trovano a sud. Quindi le strade corrono da est a ovest e i viali corrono da nord a sud. Penso di aver capito".

Per la sua prima uscita si era avventurata a Time Square, poi alla biblioteca pubblica di New York sulla Fifth Avenue e dopo un piccolo giro spontaneo.
Tutto era così nuovo eppure così familiare. Riconosceva edifici e strade quasi ad ogni svolta.

"Salve", pensò mentre passava un bel uomo che andava nella direzione opposta.
"Sei appena arrivata, Gabri. Dagli tempo" parlando a se stessa.

Mentre si incrociarono, lo sconosciuto le sorrise, un sorriso abbagliante. Non era il suo solito tipo. Di solito le piacevano quelli alti, scuri, belli (o biondi) ma decisamente alti. Lei era più o meno 1.65 cm e le piaceva indossare i tacchi.

Lui era più di un'altezza media, alias più basso, con un look tutto americano tipo alla soap-opera.

"Belle scarpe", disse.
frase interessante per un approccio.

"Scusi?"
Gabrielle rispose.

"You look like you're walking with purpose. Are you going somewhere specific?"

She didn't want to give too much away; he was a perfect stranger after all. He could be Jack The Ripper or Ted Bunty for all she knew. And before she could answer,

"I'm on my way to the office for a meeting. Here is my card with my cell and office extension. Can I meet you for a drink later on?"

Mmmmmh …

"Or perhaps a coffee tomorrow morning?"
    he said as she looked pensive.

Ok, that sounded more reasonable. Gabrielle was still hesitating.

"You can come into the building where I work and ask for me, and then we can go for a coffee?"
    Better. Definitely better.

"Let's say 10 am? How does that sound?"

"Sounds like a plan", she replied.

"And what is your name, lovely lady?"

"Gabrielle".

"Nice to meet you, Gabrielle. I'll see you tomorrow. Bye".

VP OF CORPORATE FINANCE - said the business card. VP uh? Not a bad start for an adventure.

"Sembra che tu stia camminando con uno scopo. Stai andando in un posto specifico?"

Non voleva rivelare troppo; dopotutto era un perfetto sconosciuto. Potrebbe essere Jack Lo Squartatore o Ted Bunty per quanto ne sapeva. E prima che potesse rispondere:
"Io sto andando in ufficio per una riunione. Ecco la mia carta con il mio cellulare e l'estensione dell'ufficio. Possiamo incontrarci per un drink più tardi?"

Mmmmh...

"O forse un caffè domani mattina?"
aggiunse siccome lei sembrava pensosa.

OK, questo era più ragionevole. Gabrielle stava ancora esitando.

"Puoi venire nell'edificio dove lavoro e chiedere di me, e poi possiamo andare a prendere un caffè?"
Meglio. Decisamente meglio.

"Diciamo alle 10:00? Come ti sembra?"

"Sembra un piano", lei rispose.

"E come ti chiami, bella signorina?"

"Gabrielle".

"Piacere di conoscerti, Gabrielle. Ci vediamo domani. Ciao".

VP DI FINANZA SOCIETARIA - diceva il biglietto da visita. VicePresidente eh? Non male come inizio dell'avventura.

The second morning she had the American breakfast at the hotel; she wasn't quite used to having breakfast in the morning, but she thought it was better to have one considering she had planned a long day out walking—eggs, bacon, sausage and pancakes.

She had contemplated all night if to go and meet the VP.

"What have I got to lose? It's just coffee and a chat in a public space. What's the worse that can happen?".

His office was in a massive building (aren't they all) in MidTown Manhattan by the Rockefeller Center. The reception buzzed his office extension to let him know Gabrielle was there.

"You look lovely today,"
    he said. He smelled of fresh cologne and had a crisp blue striped shirt, making his eyes stand out.

"Let's go. It is only a few minutes away, right down the steps from 1 Rockefeller Plaza. There is a nice coffee bar with espressos and very nice coffee in general. You'll like it".

He was very talkative and wanted to know more about Gabrielle. Not too much, but more. The VP was making plans for the weekend. Brunch at Balthazar.
    We can do this. We can do that. Plans for the two of them.
    A bit presumptuous.

Mind, it was her first weekend in New York, and she quite liked the idea of having some company. The fact that she was there for a limited amount of time made it more appealing.
    Probably to both of them.

La seconda mattina in New York fece la colazione americana in albergo; non era abituata a fare colazione la mattina, ma pensava che fosse meglio averla considerando che aveva programmato una lunga giornata a camminare: uova, pancetta, salsiccia e frittelle.

Aveva pensato per tutta la notte se andare o no a incontrare il VicePresidente.

"Cosa ho da perdere? È solo un caffè e una chiacchierata in uno spazio pubblico. Qual è il peggio che può succedere?"

Il suo ufficio era in un enorme edificio (non sono tutti?) a MidTown Manhattan vicino al Rockefeller Center. La portineria chiamò il numero del suo ufficio per fargli sapere che Gabrielle era lì.

"Sei adorabile oggi",
    disse. Aveva un profumo di acqua di colonia fresca e indossava una camicia a righe blu che gli faceva risaltare gli occhi.

"Andiamo. È solo a pochi minuti di distanza, proprio in fondo ai gradini da 1 Rockefeller Plaza. C'è un bel bar che vende caffè espresso e caffè molto buono in generale. Ti piacerà".

Era molto loquace e voleva saperne di più su Gabrielle. Non troppo, ma di più. Il VicePresidente stava già facendo piani per il fine settimana. Brunch a Balthazar.
    Possiamo fare questo. Possiamo fare quello. Progetti per loro due.
    Un pò presuntuoso.

Tuttavia era il suo primo fine settimana a New York e le piaceva molto l'idea di avere un po' di compagnia. Il fatto che fosse lì per un periodo di tempo limitato lo rendeva più attraente.
    Probabilmente era lo stesso per entrambi.

Time flew quickly. He had to go back to the office, and they agreed to meet outside Balthazar. Gabrielle had plans to walk some more and had studied her map. She was so proud when someone who looked like a tourist asked her for directions.

"Success".

Everything was going so well until she reached the West Village, and then it went Pete Tong,

"What happened here?"

The familiar grid-like street system was nowhere to see. As she walked around, she stumbled on the Magnolia Bakery. She got a couple of cupcakes to see what the fuss was about.

Gabrielle tried to look for familiar landmarks and streets to get back to the hotel.

"I'd be damned if I get out the map",
   she said to herself. She could have easily reached for a taxi, but she wanted to walk. Needed to walk.

She arrived back at the hotel exhausted and went straight to bed. Day two was over by 8 pm—rock'n roll, baby.

She woke up in the morning and took the time to savour her coffee and enjoy the New York view, still not believing she was actually here.

"Time to get ready for brunch".
   That day was the beginning of her affair with the VP.

Il tempo passò velocemente. Doveva tornare in ufficio e si accordarono di incontrarsi fuori da Balthazar. Gabrielle aveva intenzione di camminare ancora un po' e aveva studiato la sua mappa. Si era sentita così orgogliosa quando qualcuno che sembrava un turista le chiese indicazioni.

"Successo".

Tutto stava andando così bene finché non raggiunse il West Village, e poi tutto un casino:

"Cosa è successo qui?" pensò stupita.

Non poteva riconoscere il familiare sistema stradale a griglia da nessuna parte. Mentre camminava, si imbatté nella pasticceria Magnolia. Prese un paio di cupcakes per vedere di cosa tutti parlavano.

Gabrielle aveva provato a cercare punti di riferimento e strade familiari per tornare in hotel.

"Col cazzo che tiro fuori la mappa",
     si disse. Avrebbe potuto facilmente prendere un taxi, ma voleva camminare. Necessitava camminare.

Tornò in albergo esausta e andò dritta a letto. Il secondo giorno era finito alle otto di sera: vita da rock'n roll.

Si era svegliata la mattina dopo e aveva preso il suo tempo per assaporare il suo caffè e godersi la vista di New York, non credendo ancora di esserci davvero.

"È ora di prepararsi per il brunch".
     Quel giorno fu l'inizio della sua relazione con il VicePresidente.

He became her chaperon with benefits. He knew how to live and have fun. The high New York life.

Their relationship grew into a whirlwind, inhibited affair.

She felt like she was in a movie that, one day, was going to end inevitably—all more exciting for it.

Theatres. Cinemas. Museums.

Gabrielle got to know the most famous spots in New York. And got to have sex there too.

The VP bought her a lot of gifts. Perfume. Flowers. Jewellery. Money was his "love" language. Lots of lingerie. He loved Victoria's Secrets. She had to clear a drawer just for it.

He was the perfect chaperon and was not shy in introducing her to his acquaintances.

"This is Gabrielle, my friend visiting from London, England", he would introduce her.

The VP took her to his place in the Hamptons too. He had a house in Cooper's Beach.

Gabrielle had heard of the Hamptons: the group of towns, and villages on the eastern end of Long Island in New York state, a popular getaway for people from New York City.

When the VP told her the Hamptons were in New York, she was perplexed. It took them about two-and-a-half hours by car to get to Westhampton, where the Hamptons start.

Divenne il suo accompagnatore con benefici. Sapeva vivere e divertirsi. La vita alta classe newyorkese.

La loro relazione stava crescendo in una storia appassionante e inibita.

Si sentiva come se fosse in un film che, un giorno, inevitabilmente, sarebbe finito, tutto più eccitante per questo motivo.

Teatri. Cinema. Musei.

Gabrielle era venuta a conoscere i luoghi più famosi di New York. E fatto sesso lì anche.
Il VicePresidente le aveva comprato molti regali. Profumo. Fiori. Gioielli. Il denaro era il suo linguaggio "d'amore". Molta biancheria intima. Amava Victoria's Secrets. Aveva dovuto svuotare un cassetto intero per tutto che le aveva regalato.

Era l'accompagnatore perfetto e non era timido nel presentarla ai suoi conoscenti.

"Questa è Gabrielle, la mia amica in visita da Londra, Inghilterra", la presentava.

Il VicePresidente l'aveva anche portata al suo posto negli Hamptons. Aveva una casa vacanze a Cooper's Beach.

Gabrielle aveva sentito parlare degli Hamptons: il gruppo di città e villaggi all'estremità orientale di Long Island, nello stato di New York, un luogo di villeggiatura popolare per i newyorkesi (ricchi).

Quando il VicePresidente le disse che gli Hamptons erano a New York, era perplessa. Impiegarono circa due ore e mezza di macchina per arrivare a Westhampton, dove iniziano gli Hamptons.

Two-and-half-hours!

And to reach the end of the island's South Fork is another 50 miles east.

It's like saying Manchester is in London.

"Perspective, Gabrielle, everything is a matter of perspective",
she thought.

Gabrielle could see why so many of the wealthy and famous spend their summers here: ocean breezes, white sand beaches, excellent seafood, lively parties, and the rural atmosphere of Long Island's South Fork and the more laid-back Southampton Town.

For the weekend, the VP had planned a visit to the Shinnecock Golf Club, one of the historic golfing institutions in the United States apparently.

Even though it has been renovated and expanded, its character remains substantially the same as a century ago. An accompanying member must sign in all guests;
obviously, the VP was a member. He also bought her the appropriate golf attire and briefed her on the Club's strict rules.

"Hello, are you there? Honey?"
Mr Wonderful said.

"You seem miles away. Are you ok?"

Gabrielle was yanked back into present London.

"Yes, yes, I was just enjoying the food and lost in my thoughts",

"I hope he hasn't been talking about something important,

Due ore e mezza!

E per raggiungere la fine dell'isola South Fork c'erano altre cinquanta miglia a est.
È come dire andare da Manchester a Londra.

"Prospettiva, Gabrielle, tutto è questione di prospettiva",
pensò.

Gabrielle poteva capire perché così tanti ricchi e famosi trascorrono le loro estati qui: brezze oceaniche, spiagge di sabbia bianca, ottimi frutti di mare, feste vivaci e l'atmosfera rurale di South Fork di Long Island e della più rilassata città di Southampton.

Per il fine settimana, il VicePresidente aveva programmato una visita allo Shinnecock Golf Club, a quanto pare una delle storiche istituzioni golfistiche degli Stati Uniti.

Nonostante sia stato ristrutturato e ampliato, il suo carattere rimaneva sostanzialmente lo stesso di un secolo fa. Un membro accompagnatore deve iscrivere tutti gli ospiti;
ovviamente, il VP era un membro. Le aveva anche comprato l'abbigliamento appropriato per il golf e informata sulle rigide regole del Club.

"Ciao, ci sei? Tesoro?"
disse Mr Wonderful interrompendola nel mezzo dei suoi ricordi.

"Sembri a miglia di distanza. Stai bene?"
Gabrielle era stata ri-transportata nella Londra attuale.

"Sì, sì, mi stavo solo godendo il cibo e ero persa nei miei pensieri",
"spero che non abbia parlato di qualcosa di importante,

and I missed it", she thought.

They finished their pre-theatre dinner and strolled toward the Royal Opera House around the corner. Hand in hand. Like the day they met, the electricity between was palpable. Was it too good to be true? Sometimes she doubted she deserved him/it.

They were going to see Madame Butterfly, the fascinating and heartbreaking story of words and promises carelessly spoken with inevitable consequences.

*Un bel dì, vedremo*
*Levarsi un fil di fumo*
*Sull'estremo confin del mare*
*E poi la nave appare*
*Poi la nave bianca .....*

The VP had taken Gabrielle to the Metropolitan to see Madame Butterfly. Because he loved Opera, better still, be seen at the Opera, the best seats of course.

"I love this aria",
    he said.

It is incredible how the same experience can differ at different times. The music transported her in and out of her body, back and forward in time.

*....Entra nel porto*
*Romba il suo saluto*
*Vedi? È venuto!*
*Io non gli scendo incontro, io no*
*Mi metto là sul ciglio del colle e aspetto*
*E aspetto gran tempo*
*E non mi pesa*

e l'ho mancato", pensò in aggiunta.

Finirono la cena pre-teatro e si diressero verso la Royal Opera House dietro l'angolo. Mano nella mano. Come il giorno in cui si erano incontrati, l'elettricità era palpabile. Era troppo bello per essere vero? A volte dubitava di meritarlo.

Stavano per vedere Madama Butterfly, l'affascinante e straziante storia di parole e promesse pronunciate con noncuranza che hanno conseguenze inevitabili.

*Un bel dì, Levarsi*
*un fil vedremo di fumo*
*Sull'estremo confin del mare*
*E poi la nave appare*
*Poi la nave bianca …..*

Il VicePresidente aveva portato Gabrielle al Metropolitan per vedere Madama Butterfly. Perché amava l'Opera, meglio ancora farsi vedere all'Opera, i posti migliori ovviamente.

"Adoro quest'aria",
       aveva detto.

È incredibile come la stessa esperienza possa essere così differente in momenti diversi. La musica la trasportava dentro e fuori dal suo corpo, avanti e indietro nel tempo.

*….Entra nel porto*
*Romba il suo saluto*
*Vedi? È venuto!*
*Io non gli scendo incontro, io no*
*Mi metto là sul ciglio del colle e aspetto*
*E aspetto gran tempo*
*E non mi pesa*

*La lunga attesa*

Mr Wonderful looked at Gabrielle and kissed her gently on her forehead,

"Io sono qui, e non mi pesa la lunga attesa. Io ti aspetto".

*La lunga attesa*

Mr Wonderful guardò Gabrielle e la baciò dolcemente sulla fronte,

"Io sono qui, e non mi pesa la lunga attesa. Io ti aspetto".

# DISCLAIMER

*A New York Adventure* is a work of fiction.

Although its form is that of travelogue/semi-autobiography it is not one.

With the exception of public places, any resemblance to persons living or dead is coincidental. Space and time have been rearranged to suit the convenience of the book, memory has its own story to tell.

The opinions expressed are those of the characters and should not be confused with the author's.

# DICHIARAZIONE DI NON RESPONSABILITÀ

*Un'Avventura NewYorkese* è un'opera di finzione.

Sebbene la sua forma sia quella del diario di viaggio/semi-autobiografia, non lo è.

Ad eccezione dei luoghi pubblici, qualsiasi somiglianza con persone vive o morte è casuale. Spazio e il tempo sono stati riorganizzati per adattarsi alla comodità del libro, la memoria ha una sua storia da raccontare.

Le opinioni espresse sono quelle dei personaggi e non vanno confuse con quelle dell'autrice.

# BONUS READING FROM THE NEXT ADVENTURE

By the second month there, the novelty was wearing thin without a job or friends to meet and the VP at work during the day.

Gabrielle had walked Manhattan from top to bottom and east to west. She had almost memorised every street.

Well, it certainly felt like it.

She had met the VP on her first day there, and they had been going out ever since. He had taken her to all his haunts and introduced her to all the right people (HIS right people)

—the perfect chaperon with benefits.

She was bored.

Goren was tall, dark and handsome, moody and incredibly perceptive in a Sherlockesque deducing manner. He also is totally screwed up in his relationships.

## BONUS LETTURA DALLA PROSSIMA STORIA NELLA SERIE

Entro il secondo mese a New York, la novità si stava esaurendo senza un lavoro o amici da incontrare e il VicePresidente al lavoro durante il giorno.

Gabrielle aveva camminato per Manhattan da cima a fondo e da est a ovest. Aveva quasi memorizzato ogni strada. Beh, certamente sembrava così.

Aveva incontrato il VicePresidente il suo primo giorno lì e da allora erano insieme.

Ma adesso Gabrielle era annoiata.

Goren era alto, bruno e bello, lunatico e incredibilmente perspicace in un modo deduttivo da Sherlock. Inoltre è totalmente incasinato nelle sue relazioni.

In other words: perfect and her usual type.

To pass her time, she started googling to find out where they were filming, if any filming was going on, and which actor was filming.
    She considered going too.

Reddit seemed the place to find out together with every possible D'Onofrio/Goren sighting, the two more and more intertwined in Gabrielle's mind. An intelligent and attractive hero, right here in New York. Where she was right now.

She was almost living a double life.

By night living the sparkling NY City life with the VP.

By day searching the internet for the latest place where Goren had been seen:

- Bond St,
- Stuyvesant Town,
- Bleecker Street ...

One day, she read that he was a regular in Tompkins Square Park, Christodora House, so she walked down from MidTown and stayed there for hours.

H-O-U-R-S.

Waiting.

Nothing happened, of course, besides that she had turned into a semi-stalker.

In altre parole: perfetto e il suo solito tipo.

Per passare il tempo, aveva iniziato a cercare su Google per scoprire dove stavano girando il film, se erano in corso le riprese e quale attore stava filmando. Anche lei ha pensato di andare.

Reddit sembrava il posto giusto per questo e per ogni possibile avvistamento D'Onofrio/Goren, i due sempre più intrecciati nella mente di Gabrielle. Un eroe intelligente e attraente, proprio qui a New York. Dove lei si trovava adesso.

Stava vivendo un doppia vita.

Di notte l'alta vita di New York City con il VicePresidente. Di giorno, cercando su Internet l'ultimo posto in cui Goren era stato avvistato:

- Bond St,
- Stuyvesant Town,
- Bleecker Street ...

Un giorno aveva letto che era un frequentatore abituale di Tompkins Square Park, Christodora House e così aveva camminato da MidTown fino a lì e si era fermata per ore.

O-R-E.

Aspettando.

Non successe niente, ovviamente, a parte il fatto che si stava trasformando in una semi-stalker.

Then, on her way back to the TownePlace …

―――

This **BONUS** reading is an extract from the next story in the adventures of Gabrielle, **Searching for Goren**.

Ma mentre stava tornando al TownePlace …

———

Questa lettura **BONUS** è un estratto della prossima storia nelle avventure di Gabrielle, **Alla Ricerca di Goren.**

# GABRIELLE COMPLETE ADVENTURES

**The Nine Lives of Gabrielle** is a powerful **contemporary romance** focusing on **city life** with a dab of **billionaire office romance** and a **strong female lead** with backbone, a big heart and a stubborn streak. It will make you laugh, reflect, cry and gasp while enjoying the excitement of the Big Apple, dreaming of Paris and longing for London.

*The Nine Lives of Gabrielle è una storia d'amore travolgente e un viaggio alla scoperta di sé - la storia d'amore perfetta per farti ridere (a meno che tu non abbia il senso dell'umorismo ;-)), riflettere, sussultare e forse versare una piccola lacrima mentre scopri emozioni nella Grande Mela, sogni a Parigi e hai nostalgia per Londra.*

**Available in English & Italian/**
**Disponibile in Inglese & Italiano**

## ALSO BY LAURA MARIANI - ENGLISH

**I don't care if you don't like me: I LOVE ME - 28 ways to love yourself more",** - a self-love book with guided practices for women inspired by my contemporary romance book, **The Nine Lives of Gabrielle,** and the journey of self-discovery and self-love of the protagonist, Gabrielle.

*I don't care if you don't like me: I LOVE ME - 28 ways to love yourself more - un libro per amare se stessi con pratiche guidate specialmente per donne ispirato dal romanzo d'amore contemporaneo **The Nine Lives of Gabrielle,** e il viaggio alla scoperta di sé stessa della protagonista, Gabrielle.*

Here you will find 28 quick and easy ways to love yourself more every day with techniques that you can try out and then adopt going forward.

*Qui troverai 28 modi semplici e veloci per amarti di più ogni giorno con tecniche che puoi provare e poi adottare in futuro.*

Day by day, all these little practices stack up and compound, creating a domino effect, not visible at the beginning but with a massive impact as you move along.

*Giorno dopo giorno, tutte queste piccole pratiche si accumulano e si combinano, creando un effetto domino, non visibile all'inizio ma con un impatto enorme man mano che avanzi.*

**Available in English/Disponible in Inglese**

# AUTHOR'S NOTE / NOTA DALL'AUTRICE

Thank you so much for reading *A New York Adventure.*

*Grazie mille per aver letto Un'Avventura NewYorkese.*

I hope you found reading this short story useful for *remembering* your language skills and you also enjoyed the story .

*Spero che questa novella vi sia piaciuta e l'abbiate trovata utile per ricordare le vostra capacità linguistica.*

A review would be much appreciated as it helps other readers discover the story and the series. Thanks.

*Una recensione sarebbe molto apprezzata in quanto aiuta altri lettori a scoprire la storia e la serie. Grazie.*

If you sign up for my newsletter you'll be notified of giveaways, new releases and receive personal updates from behind the scenes of my business and books.

*Se ti iscrivi alla mia newsletter, sarete informati di omaggi, nuove uscite e riceverete aggiornamenti personali da dietro le quinte della mia attività e dei miei libri.*

Go to/ *Visita* www.thepeoplealchemist.com to get started/ *per cominciare.*

## Places in the book

I have set the story in real places in London and New York - find out more about them or perhaps, go and visit:

## Luoghi nel libro

*Ho ambientato la storia in luoghi reali a Londra e New York. Puoi scoprire di più su di loro o anche visitare:*

- Balthazar, London
- Balthazar, New York
- Blue Bottle Coffee
- Covent Garden
- Empire State Building
- Magnolia Bakery
- Rockefeller Center
- Royal Opera House, London
- The New York Public Library
- The Metropolitan Opera, New York
- The Shinnecock Golf Club
- Times Square
- TownePlace Suites, Manhattan/Times Square
- NYC West Village

## Bibliography

I read a lot of books as part of my research. Some of them together with other references include:

## Bibliografia

*Ho letto molti libri come parte della mia ricerca. Alcuni di loro insieme ad altri riferimenti includono:*

Psycho-Cybernetics - **Maxwell Maltz**
The Complete Reader - **Neville Goddard**

**Madama Butterfly** is an opera in three acts by Giacomo Puccini, with an Italian libretto by Luigi Illica and Giuseppe Giacosa, premiered at La Scala, in Milan in 1904.

*Madama Butterfly - un'opera in tre atti di Giacomo Puccini, con un libretto italiano di Luigi Illica e Giuseppe Giacosa, presentato in anteprima a La Scala, a Milano nel 1904.*

The **"Bermondsey Goes Balearic"** article in the late 1987 by Paul Oakenfold for Terry Farley and Pete Heller's Boys Own fanzine (*it's all gone Pete Tong*).

**The Vicar of Dibley** - British sitcom starring Dawn French as the Vicar of the rural parish of Dibley, It made its debut in 1994.

*The Vicar of Dibley - La sitcom britannica con protagonista Dawn French nei panni del vicario della parrocchia rurale di Dibley, ha debuttato nel 1994.*

Printed in Great Britain
by Amazon

26161777R00046